da un'idea di ANDREA DAMI

Illustrazioni: Marco Campanella
Testi: Anna Casalis
Grafica: Stefania Pavin

www.giunti.it

© 2003 Giunti Editore S.p.A.
Via Bolognese, 165 - 50139 Firenze - Italia
Via Dante, 4 - 20121 Milano - Italia

Ristampa	Anno
8 7 6 5 4	2010 2009 2008 2007

Stampato presso Giunti Industrie Grafiche S.p.A. – Stabilimento di Prato

Il Natale di
TopoTip

Marco Campanella

G DAMI EDITORE

Mancano pochi giorni a Natale. Topo Tip è molto impaziente. Ha già preparato l'albero, decorato con stelle e palline colorate e ha messo in testa all'orsetto Teddy un cappello da Babbo Natale. Ora aspetta, guardando fuori dalla finestra la neve che cade. Dove sarà la grande slitta tirata dalle renne, carica di doni...

"Non hai ancora preparato la letterina
per Babbo Natale!" gli ricorda la mamma.
"Come farà a sapere quello che vuoi?"
"Hai ragione, me ne sono dimenticato!"

Topo Tip non sa scrivere, ma si siede al suo tavolino e si dà da fare con i pastelli a cera: "Caro Babbo Natale, vorrei ricevere un trenino, un aeroplano e tanti dolci! Ah! Mi dimenticavo! Il mio orsetto avrebbe bisogno di una sciarpa calda e di un berretto nuovo!" Babbo Natale capirà certamente questi bei disegni!

"Ecco, mamma, ho finito la mia lettera, puoi spedirla tu? Io intanto vado un po' fuori a giocare nella neve." Topo Tip si è imbacuccato ben bene ed è pronto a uscire al gelo con il suo amico orsetto.

"Quanta neve! Oggi è il giorno perfetto per costruire un bel pupazzo!"

Topo Tip non è l'unico a divertirsi nella neve.
Squit, il suo amico scoiattolo, ha trovato un nuovo gioco bellissimo!
"Yuppy! è meglio che andare in giostra..." ride facendo lo scivolo lungo la grondaia.

yupiii

"Che ne dici, Teddy, non è un bel pupazzo? Non ti sembra che assomigli un po' al mio papà?" Topo Tip è molto fiero del risultato del suo lavoro. Non aveva mai fatto un pupazzo così grande: è addirittura più alto di lui!

"Adesso però fa veramente troppo freddo! Brr! Teddy, torniamocene a casa al calduccio! Non so proprio come si fa a resistere fuori con questo gelo!" Topo Tip prende il suo orsetto preferito e corre via battendo i denti.

"Ciiip! Ciiip!" lo chiama un uccellino, quando è ormai già sulla porta di casa. "Hai sentito che freddo fa? Ti prego, dammi la tua sciarpa! Questo autunno avevo un'ala ferita, e non sono riuscito a volare via verso i paesi caldi insieme ai miei compagni…"
Topo Tip è molto geloso della sua bella sciarpa e fa finta di non sentire.

È sera e Topo Tip, nel suo lettino caldo, non è felice.
"Che cosa ti preoccupa, Tip?" chiede la mamma.
"Mamma, secondo te Babbo Natale viene a sapere
quando siamo stati egoisti e cattivi?"
"Babbo Natale viene sempre a sapere tutto. Ma forse,
se hai fatto qualcosa di sbagliato, sei ancora in tempo
per rimediare…" lo consola la mamma.

Topo Tip si sveglia di buon'ora, la mattina dopo.
"Presto, mamma, dobbiamo metterci al lavoro!
Prendiamo questa mia vecchia maglia. Possiamo
disfarla e fare con la lana una sciarpa caldissima.
Mi puoi aiutare?"

Con l'aiuto della mamma, la sciarpa è pronta in poco tempo. Topo Tip carica Teddy sulla slitta e corre fuori, nella neve, alla ricerca del povero uccellino. "Uccellino! Dove sei? Rispondimi!" grida Topo Tip nella tormenta. Ma nessuno risponde.

"Finalmente ti ho trovato! Presto, indossa questa sciarpa calda! Starai subito meglio!"
Ma l'uccellino è troppo debole e congelato.
"Grazie, Tip, ma ormai è troppo tardi, la sciarpa non basta... fa troppo freddo per me, qui nel bosco!"

Topo Tip non si perde d'animo. Copre l'uccellino con la sciarpa e con il suo giubbotto, e via di corsa verso casa!

"Una minestra calda e il calore del fuoco ti faranno sentire meglio!" dice Topo Tip al suo nuovo amico.

È la notte di Natale. Fra poco arriverà
la grande slitta, tirata dalle renne.
Babbo Natale troverà un topino buono che
dorme sereno sotto le coperte, accanto al suo amico
uccellino, finalmente caldo e felice.
Buon Natale, Topo Tip!

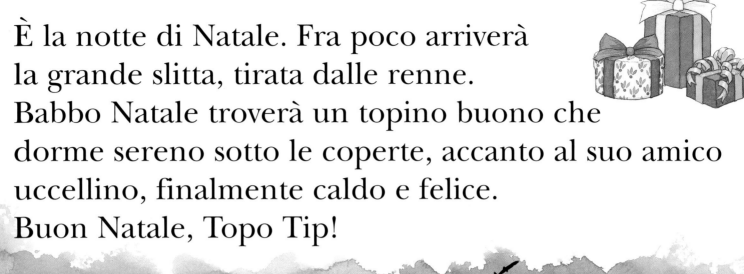